Lucien,
le pingouin musicien

L'auteur-illustrateur

Depuis tout p'tit, **Jean-Marc Mathis** a traîné
sur des chantiers avec son maçon de père.
Après sa formation de dessinateur en bâtiment,
il traça même les plans de son château idéal.
Bref, Jean-Marc était destiné à faire carrière dans le bâtiment.
Mais... la passion du dessin et le besoin de raconter
furent les plus forts et l'ont emporté.

**Cet album a reçu
le Prix des Incorruptibles 2001, section CP.**

Du même auteur

Lucien, le pingouin au pays du soleil
On a volé la trompette de Lucien
Lucien, tu vas te faire manger !
L'étrange rêve de Lucien
Lucien et le bonhomme de neige sauvage
(Prix des Incorruptibles 2005, section CP)
Le cadeau de Lucien

Loi n° 49-956 du 16 juillet 1949
sur les publications destinées à la jeunesse : mai 2006.

ISBN : 2-266-15849-X

Dépôt légal : mai 2006
Achevé d'imprimer en France par Pollina, 85400 Luçon – n°L99682-A

Jean-Marc Mathis

Lucien, le pingouin musicien

POCKET
jeunesse

« Ah, quelle belle nuit ! »
se dit Lucien tout en rêvant
devant le ciel étoilé.

« Et comme la lune est jolie…
Mais elle doit s'ennuyer là-haut,
perdue au milieu
de toutes ces étoiles !
Tiens, je vais lui jouer
un petit air de musique,
je suis sûr qu'elle sera contente ! »

Hop ! Hop ! Hop !
Lucien, sa trompette jaune
à la nageoire,
glisse hors de son igloo.

Puis il se dandine jusqu'au pied
d'un gros bloc de glace
qu'il décide d'escalader.

À peine arrivé au sommet,
Lucien le pingouin
souffle joyeusement
dans sa trompette :

**Ta-tatiii !
Ta-tataaa !**

13

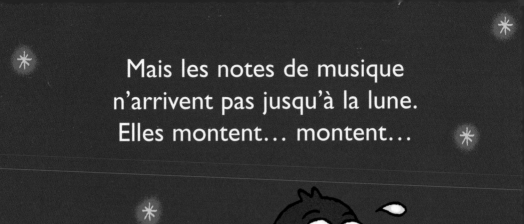

Mais les notes de musique
n'arrivent pas jusqu'à la lune.
Elles montent… montent…

… puis elles retombent
sur la glace et elles éclatent
comme des bulles de savon :
Plic ! Ploc !

« Crotte ! »
se dit Lucien,
et il souffle de plus belle
dans sa trompette :

Tû-tutuuu !
Ti-titiiii !

17

Cette fois,
les notes de musique
montent très haut dans le ciel...

19

... mais elles retombent
comme les premières...
Plic ! Plic ! Ploc !

« Crotte de nez ! »
se dit Lucien,
et il souffle encore de plus belle
dans sa trompette :

Ti-titiiii !!

Tû-tutaaaa !!

Cette fois-ci,
les notes de musique
montent encore plus haut...

... mais elles retombent
comme toutes les autres...
Plic ! Ploc ! Ploc !

« Crotte de nez de singe ! »
se dit le pingouin.

Il prend alors une longue
inspiration…

… et il souffle tellement fort
dans sa trompette qu'elle

explose !!

Une énorme note de musique
monte… monte…
bien plus haut que les nuages et…

... elle disparaît
dans le ciel étoilé !

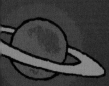

« Crotte de nez de singe qui pue ! »

s'exclame Lucien.

« J'ai cassé ma trompette
et je ne sais même pas
si la lune m'a entendue ! »

À peine
le pingouin a-t-il dit ces mots
qu'une étoile filante lui tombe
sur la tête.

Quelque chose
est écrit sur l'étoile !

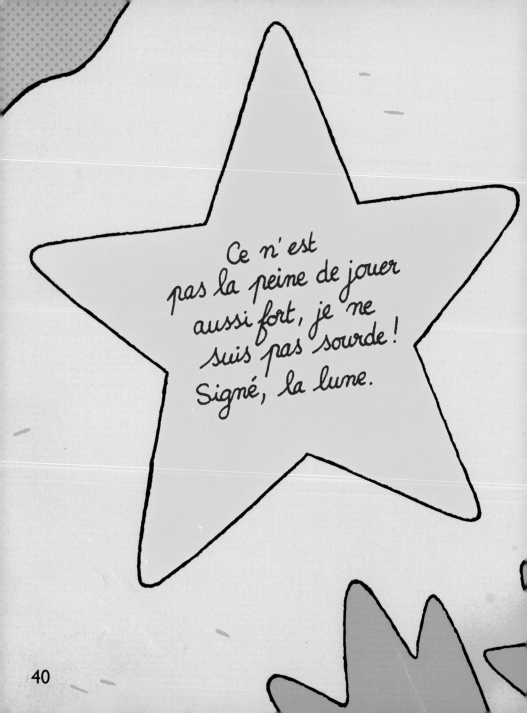

Malgré sa trompette cassée
et une belle bosse sur le crâne,
Lucien le pingouin musicien
est très content.

Il a réussi !
La lune a entendu sa musique !

Bien au chaud dans son igloo,
Lucien le pingouin s'endort,
le sourire au bec.

46

47

Dans la collection Albums retrouve vite :